한국형 시공간력 검사
Korean Vsual-spatial Intelligence examination Test

저 자	유순덕 박사
	예감심리연구소

Korean Copyright © Yaegam Psychology Research Institute

성 명		출생연도		성별	남/여	검사일	20 년 월 일
검사자		총 점		판 정		정상 / 경미 / 심각	

1. 📷 를 왼쪽으로 반바퀴(90°) 돌리면 어떻게 되나요?

                                                              0   1

2. 🧪 를 왼쪽으로 정반대(180°)로 돌리면 어떻게 되나요?

                                                              0   1

3. 📦 을 위에서 보면 어떻게 보이는지 골라보세요.

                                                              0   1

4. 차의 방향이 다른 것을 골라 보세요.

                                                              0   1

5. 다음에 나올 도형을 그려보세요.

   ◀ ◎ ▶ ◀ ◎ ▶ ◀ ◎

                                                              0   1

6. 다음에 나올 도형을 그려보세요.   0   1

7. 모양이 다른 것에 동그라미 쳐 보세요.　　　　　　　　　0　　1

8. 과 같은 것은 무엇인지 골라보세요.　　　　　　　　　　　0　　1

9. 사각형을 2개를 그리되 한 개가 안으로 들어가게 그려보세요.　　0　　1

10. 삼각형 2개를 겹치게 그려보세요.　　　　　　　　　　　　0　　1

시공간력 검사

- 한국형 시공간력 검사(KVIT; Korean Visual-spatial Intelligence Test)는 예감심리연구소에서 개발한 검사지로, 시공간력 저하가 의심되는 대상자를 선별할 때 사용한다.

- 한국형 시공간력 검사는 원래 시공간력의 정도를 밝혀내고 측정하는 것을 목적으로 만든 것으로, 시공간력 부분을 자세하게 검사하기 위하여 만든 검사지다.

- 시공간력은 사물의 크기나 공간적 성격을 인지하는 능력을 말합니다.

한국형 시공간력 검사

2018년 10월 31일 1판 1쇄 인쇄
2018년 10월 31일 1판 1쇄 발행

저 자: 유 순 덕
발행자: 이 규 종
발행처: 예 감

e-mail : elman1985@hanmail.net
등록: 제2015-000130호
ISBN 979-11-89083-09-0(13180)

이 검사지 내용의 일부 또는 전부를 재사용하려면 반드시 저작권자와 예감출판사 양측의 동의를 얻어야 합니다.

낙장·파본은 교환해 드립니다. 정가 2,000원